Witzige Garniervorschläge

Iryna Stepanova
Sergiy Kabachenko

Witzige
Garniervorschläge

Deutsche Bearbeitung von Oda Tietz

Weltbild

Inhalt

Abkürzungen
cm = Zentimeter
g = Gramm
ml = Milliliter
TL = Teelöffel

Vorwort

Witzig und keck, appetitlich und farbenfroh kommen sie daher, die leckeren Happen, die sich als Schmetterling, Mäuschen, Schweinchen, Ente, Bär, Löwe oder Haifisch präsentieren und voller Überraschungen stecken. Was verbirgt sich zum Beispiel im Bauch des Marienkäfers? Wie zart sind die Ohren des schlauen Mäuschens? Wie knackig ist der rote Schnabel des faulen Hahns?

Ein Brot oder Brötchen so in Form zu bringen, dass es sich im Nu in ein Schweinchen, einen Elefanten oder in eine Schildkröte verwandelt, ist nicht schwer. Mit ein paar Einschnitten und appetitlichem Belag – denn der gehört natürlich auch dazu – kann man viel bewirken. Aus aufgerollten oder zusammengeklappten Wurstscheiben entstehen Nasen oder Ohren, aus Käsescheiben Hörner, Zähne oder Füßchen. Aus Salatblättern lassen sich Locken, Mähnen oder Vogelnester herstellen, aus Paprika Hahnenkämme und Mäulchen. Verbunden werden die kulinarischen Bauteile mittels Salzstangen.

Die herausgeputzten Brötchen und Brote schmecken nicht nur gut, es macht auch Spaß, sie zuzubereiten. Wenn geschnippelt, gedreht, gesteckt und ausgerädelt wird, kann man der Fantasie freien Lauf lassen und nach Herzenslust zaubern, wonach einem der Sinn steht. Die ganze Familie kann mitmachen, denn zu schneiden und zu garnieren gibt es genug. Besonders Kindern macht es viel Freude, wenn sie die Geburtstagsbrötchen oder -brote für ihre Gäste selbst zubereiten dürfen. Wenn dann aufgetischt wird, werden Familie und Freunde aus dem Staunen nicht herauskommen! Und ehe man sich's versieht, sind die witzigen Gaumenextras vertilgt.

Die Mengenangaben sind für vier Personen berechnet. Wenn Sie mehr Gäste erwarten, werden die Mengen entsprechend verdoppelt oder verdreifacht.

Lustige Hamburger

Ritsch-ratsch – die Brötchen aufschneiden, einmal oder zweimal, und schon kann die Zauberei beginnen. Verwöhnen Sie Ihre Familie und Ihre Gäste mit Schmetterlingen, flotten Löwen, Mäuschen, stolzen Vögeln oder Watschelenten. Hergestellt sind diese leckeren Brötchen rascher, als man denkt. Und das Herausputzen ist eine herrliche Herausforderung! Was meinen Sie wohl, was Ihre Gäste sagen? Sie bekommen Applaus wie noch nie!

Sesambrötchen

Für 16 Brötchen
750 g Mehl
42 g Hefe
2 TL Zucker
375 ml Milch
100 g weiche Butter
2 Eier
2 TL Salz
Außerdem: **Öl für das Blech**
1 Ei
Sesamsamen

1. Das Mehl in eine Schüssel sieben und in die Mitte eine Vertiefung drücken. Die Hefe mit 1 Teelöffel Zucker in etwas lauwarmer Milch verrühren und in die Vertiefung gießen. Etwas Mehl vom Rand zufügen und einen breiartigen Vorteig bereiten. Zugedeckt an einem warmen Ort etwa 20 Minuten gehen lassen.

2. Auf dem Mehlrand den restlichen Zucker, die Butter in Flöckchen sowie Eier und Salz verteilen. Die Zutaten zu einem glatten Teig verkneten, dabei die restliche Milch zugeben. Zugedeckt nochmals 30 Minuten gehen lassen.

3. Den Backofen auf 200 °C (Gas Stufe 3, Umluft 180 °C) vorheizen. Den Teig durchkneten und auf be-mehlter Fläche zu einer 2 Zentimeter dicken Platte ausrollen. 5 Minuten ruhen lassen, dann Kreise von 10 Zentimetern Durchmesser aus-stechen.

4. Ein Backblech einfetten, mit Mehl bestäuben und die Teigstücke auflegen. Ei mit 1 Esslöffel Wasser verquirlen, die Teigstücke damit be-streichen und Sesamsamen auf-streuen. Die Brötchen im heißen Ofen etwa 15 Minuten backen. Heraus-nehmen und auskühlen lassen.

Unsere Tipps

Die Brötchen können Sie auf Vorrat backen: Gut verpackt, bleiben sie bis zu zwei Tage lang frisch, außerdem können sie ein-gefroren werden. Statt fri-scher Hefe können Sie auch Trockenhefe verwenden. Das ist praktisch, wenn es schnell gehen soll, denn bei Trockenhefe muss man kei-nen Vorteig zubereiten. Sie wird einfach mit dem Mehl vermischt und mit den rest-lichen Zutaten verknetet. Nach einer halben Stunde Ruhezeit kann der Teig ge-formt werden.

Schmetterling

4 Sesambrötchen (→ Seite 8)
16 Blätter Lollo Biondo
30 g Butter
4 Scheiben Bierschinken
(etwa 10 cm ø)
4 Scheiben Schnittkäse (z. B. Gouda)
4 Scheiben Schnittkäse mit
Schinken
Je 8 dünne Gurken- und
Radieschenscheiben
4 kleine schwarze Oliven ohne Stein
4 Maiskörner (Konserve)
8 Gewürzkörner
8 Schnittlauchhalme

1. Die Brötchen quer durchschneiden. Den Salat waschen. Die unteren Brötchenteile mit Butter bestreichen, mit Bierschinken belegen und jeweils mit vier Blättchen zurechtgezupftem Salat bedecken (Bild).

2. Die oberen Brötchenhälften in der Mitte teilen und mit der runden Seite nach innen auf den Salat legen.

3. Aus dem Gouda und dem Schinkenkäse acht »Flügel« von jeweils 6 Zentimetern Länge ausrädeln oder ausstechen und auf den Sesamhälften anordnen. Gurken- und Radieschenscheiben auf den Käse legen.

4. Die Oliven zwischen die Brötchendeckel legen, die Maiskörner halbieren und auf den Oliven platzieren. Gewürzkörner in den Mais drücken und Schnittlauch als Fühler an die Oliven anlegen.

Unser Tipp

Als Salat wird in den meisten Rezepten Lollo Biondo oder Lollo Rosso angegeben. Diese Sorten sind dekorativ und robust, schmecken würzig und leicht bitter. Sie können aber auch andere Sorten verwenden, ganz nach Geschmack. Zum Beispiel den ebenfalls dekorativen Eichblattsalat, der einen kräftigen, leicht nussigen Geschmack hat und dessen Blätter etwas zarter sind, oder Feldsalat.

Maulwurf

4 Sesambrötchen (→ Seite 8)
30 g Butter
4 Scheiben Bierschinken
(etwa 10 cm ø)
6 Scheiben Kalbfleischwurst
(etwa 10 cm ø)
8 kleine Salatgurkenscheiben
8 Radieschenscheiben
4 schwarze Oliven ohne Stein
4 Radieschenhälften
4 Stängel krause Petersilie
4 Blätter Lollo Biondo
Außerdem: Salzstangen

1. Die Brötchen quer durchschneiden. Die Unterseiten mit Butter bestreichen, die Bierschinkenscheiben auflegen. In die oberen Brötchenhälften für die Ohren zwei 1 Zentimeter große Löcher stechen und in die Mitte darunter ein $1\frac{1}{2}$ Zentimeter großes Loch. Die Brötchendeckel auf die Wurst legen ❶.

2. Aus vier Scheiben Kalbfleischwurst acht Kreise von 4 bis 5 Zentimetern Durchmesser ausstechen. Zusammenrollen und als Ohren in die oberen Brötchenhälften stecken.

3. Das Innere der Gurkenscheiben entfernen, die Radieschenscheiben hineinlegen und das Ganze unterhalb der Ohren auf die Sesambrötchen legen. Die restlichen zwei Scheiben Kalbfleischwurst halbieren, aufrollen und als Nase in das verbliebene Loch stecken.

4. Von den Oliven jeweils eine dünne Scheibe abschneiden und beiseitelegen. Danach die Oliven etwas aushöhlen und jeweils auf die Spitze der Wurstscheibe stecken ❷.

5. Die Radieschenhälften mithilfe von Salzstangenstückchen unterhalb der Nase befestigen. Petersilie zwischen die Ohren legen. Die vier dünnen, beiseitegelegten Olivenscheiben in der Mitte durchschneiden und auf die Radieschenscheiben (Augen) legen. Auf Salatblättern anrichten.

Watschelente

4 Sesambrötchen (→ Seite 8)
40 g Butter
4 Scheiben Salami (etwa 9 cm ø)
4 Scheiben Kalbfleischwurst
(etwa 9 cm ø)
8 Scheiben Schnittkäse (z. B. Gouda,
Edamer)
4 Blätter Lollo Biondo
Krause Petersilie
4 schwarze Oliven ohne Stein
8 Gewürzkörner
4 Scheiben Schnittkäse (z. B. Chester)
Außerdem: **Salzstangen**

1. Die Brötchen zweimal quer durchschneiden. Die oberen Teile beiseite legen, von den anderen Teilen ringsum einen $^1/_2$ Zentimeter dicken Rand abschneiden. Die verkleinerten Brötchenteile mit Butter bestreichen, auf das untere eine Scheibe Salami geben, das mittlere Teil auflegen und mit Kalbfleischwurst bedecken.

2. Die Brötchendeckel mit einem Loch von 2 Zentimetern Durchmesser versehen. Aus den Käsescheiben acht Kreise von 6 Zentimetern Durchmesser ausstechen. Die Kreise leicht zusammenklappen und jeweils zwei ineinander stecken, sodass ein Schnabel entsteht (Bild). Den Schnabel in das Loch des Brötchendeckels schieben.

3. Auf die Kalbfleischwurst jeweils zwei Salatblättchen als Flügel und ein Stück Petersilie als Schwänzchen legen. Die Brötchendeckel auflegen. Oliven in Scheiben schneiden, etwas Käse in die Löcher geben und Gewürzkörner hineindrücken. Die Scheiben über dem Schnabel anordnen und mit Salzstangenstückchen befestigen. Darüber Petersilie auflegen.

4. Aus dem Chester Pfötchen von 7 bis 8 Zentimetern Länge schneiden und das Brötchen daraufsetzen.

Unser Tipp

Unter Gewürzkörnern versteht man normalerweise Piment (auch Nelkenpfeffer). Sie können aber auch andere Gewürze verwenden, wie Pfefferkörner, Kümmel, Senfsamen oder Koriander.

Freundlicher Wal

4 Sesambrötchen (→ Seite 8)
30 g Butter
4 Blätter Lollo Biondo
4 Scheiben Schnittkäse mit
Schinken (etwa 10 cm ø)
6 Scheiben Kalbfleischwurst
(etwa 10 cm ø)
4 schwarze Oliven
8 Maiskörner (Konserve)
8 Gewürzkörner
4 Dillzweige
1 schlanke Salatgurke oder Zucchini
Außerdem: **Salzstangen**

1. Die Brötchen zweimal quer durchschneiden. Die mittleren Teile halbieren und beiseitelegen. Die unteren Teile mit Butter bestreichen. Die Salatblätter so auflegen, dass die Spitzen als Schwanzteil aus dem Brötchen herausragen.

2. Käse auf den Salat legen. Vier Scheiben Kalbfleischwurst zusammenklappen und mit der offenen Seite nach vorn auf die Käsescheiben legen.

3. Auf das Schwanzteil ein halbes Brötchenteil mit der Schnittfläche nach hinten legen. In die Mitte der runden Seite eine Salzstange stecken und diese mit der zusammengeklappten Scheibe verbinden.

4. Die restlichen halben Brötchenteile mit Butter bestreichen und mit der geraden Seite nach hinten direkt hinter die Wurst auf die Salzstange legen. Die restlichen zwei Scheiben Kalbfleischwurst halbieren, auf die Brötchenhälften legen (Bild).

5. Die Brötchendeckel jeweils so aufsetzen, dass die zusammengeklappten Wurstscheiben als Mäulchen herausragen. Die Oliven halbieren, jeweils ein Maiskorn hineingeben und Gewürzkörner in den Mais drücken.

6. Quer durch die oberen Brötchenstücke jeweils eine Salzstange führen und auf die Enden die mit Mais präparierten Olivenhälften als Augen stecken. In die Kopfmitte des Wals einen Dillzweig stecken. Die Gurke in dünne Scheiben schneiden und diese auf dem Schwanzstück anordnen. Anstelle von Gurken kann man auch Zucchinischeiben verwenden.

Flotter Löwe

4 Sesambrötchen (→ Seite 8)
40 g Butter
4 Scheiben Bierschinken
(etwa 10 cm ø)
Einige Blätter Lollo Biondo
4 Scheiben Kalbfleischwurst
(etwa 10 cm ø)
4 Scheiben Schnittkäse (z. B. Gouda)
4 schwarze Oliven ohne Stein
8 Maiskörner (Konserve)
8 Gewürzkörner
Krause Petersilie
1 Stück rote Paprikaschote
Schnittlauch

1. Die Brötchen zweimal quer durchschneiden. Die oberen und mittleren Teile beiseitelegen. Die unteren Brötchenteile mit Butter bestreichen und mit dem Bierschinken belegen.

2. Den Salat waschen. Die Brötchendeckel auf der Unterseite mit Butter bestreichen und mit Salatblättern belegen. Die Salatblätter sollen die Brötchen ringsum um etwa 2 Zentimeter überragen.

3. Die mit Salat belegten Teile mithilfe von Salzstangenstücken auf der oberen Kante des mit Bierschinken belegten Brötchens befestigen.

4. Aus der Kalbfleischwurst jeweils zwei Kreise von 4 bis 5 Zentimetern Durchmesser ausstechen und als Ohren zwischen Brötchen und Salatblatt legen, mit Salzstangenstückchen befestigen.

5. Zwei der beiseitegelegten mittleren Brötchenteile zuerst halbieren, dann in vier Teile schneiden. Jeweils zwei der entstandenen Ecken als Pfoten anlegen.

6. Aus den Käsescheiben acht ovale Stücke von etwa 2 mal 4 Zentimetern ausstechen und mithilfe von Salzstangenstückchen auf dem »Kopf« befestigen.

7. Für die Augen aus den Oliven acht Scheiben herausschneiden, in die Mitte Maiskörner geben, Gewürzkörner aufdrücken, alles über den Käsestücken anordnen und mit Salzstangenstückchen befestigen. Petersilie als Augenbrauen auflegen.

8. Aus rotem Paprika den Mund zurechtschneiden und zwischen die Käsestücke legen. Schnittlauch waschen, zerkleinern und in die Käsestücke drücken. Zuletzt eine Weißbrotecke als Schnauze auflegen und mit Salzstangenstücken befestigen. In einen Schnittlauchhalm Petersilie stecken und den Halm als Schwanz anlegen.

Mäuschen

4 Sesambrötchen (→ Seite 8)
30 g Butter
4 Scheiben Schnittkäse (z. B. Gouda)
8 Scheiben Kalbfleischwurst
(etwa 10 cm ø)
4 schwarze Oliven ohne Stein
Dillzweige
4 Radieschen
4 Gewürznelken
4 Maiskörner (Konserve)
4 grüne Bohnen (Konserve)
Außerdem: Salzstangen

1. Die Brötchen quer durchschneiden. Die unteren Teile mit Butter bestreichen und mit Käse belegen. In die oberen Teile für die Ohren zwei Löcher von 1 Zentimeter Durchmesser stechen und für das Mäulchen ein Loch von 2 Zentimetern Durchmesser. Dann die oberen Brötchenteile auf der Unterseite mit Butter bestreichen und auf den Käse setzen.

2. Aus vier Scheiben Kalbfleischwurst für die Ohren acht Kreise von 4 Zentimetern Durchmesser ausstechen und in die Öffnungen der Brötchendeckel stecken ❶.

3. In die Öffnungen für das Mäulchen jeweils eine Salzstange stecken. Die restlichen vier Wurstscheiben aufrollen und mit der dicken Seite nach innen in die Öffnung für das Mäulchen auf die Salzstange setzen. Die Spitzen jeweils mit einer etwas eingeschnittenen Olive versehen ❷. In die Oliveneinschnitte rechts und links Dillzweige stecken.

4. Die Radieschen halbieren, danach in Viertel schneiden. Auf den Radieschenvierteln mithilfe der Gewürznelken den Mais befestigen und dies als Augen über dem Mäulchen auflegen. Unter das Mäulchen ein Radieschenviertel schieben und jeweils zwei kleine Käsestücke davorlegen. Zwischen die Ohren Petersilienzweige legen. Jeweils eine grüne Bohne als Schwanz anlegen.

Marienkäfer

4 Sesambrötchen (→ Seite 8)
40 g Butter
5 Scheiben Schnittkäse (z.B. Gouda)
4 Scheiben Salami (etwa 10 cm ø)
10 schwarze Oliven ohne Stein
8 Gewürzkörner
4 Scheiben ungarische Salami
Dillzweige
Außerdem: **Salzstangen**

1. Die Brötchen quer durchschneiden. Die Unterseiten mit Butter bestreichen. Aus vier Käsescheiben sechs Streifen von 1 $1/_2$ Zentimetern Breite und 8 Zentimetern Länge schneiden. Die Streifen von der Mitte her so auf den Unterseiten anordnen, dass sie etwa 4 Zentimeter über die Brötchenhälften hinausragen. Die Streifen mit den großen Salamischeiben bedecken.

2. Die oberen Brötchenhälften mit Butter bestreichen. Die Hälften in drei Stücke schneiden und diese auf den Wurstscheiben anordnen (Bild). Acht Oliven in Ringe schneiden, die Marienkäfer damit belegen.

3. Aus der restlichen Käsescheibe acht Kreise von 1 Zentimeter Durchmesser ausstechen, als Augen auflegen und mit Gewürzkörnern versehen. Die restlichen zwei Oliven in der Mitte teilen und mithilfe von Salzstangenstückchen vor den Augen als Näschen befestigen.

4. Die kleinen Salamischeiben zusammenklappen und je eine Scheibe unter dem Näschen zwischen die Brötchenhälften schieben, sodass ein Mäulchen entsteht. Über den Augen Dillzweige als Fühler anlegen.

Unser Tipp

Beim Befestigen der kleinen Teile können neben Salzstangen auch andere Hilfsmittel nützlich sein. So können Sie zum Beispiel mit Butter oder Frischkäse Körner oder Oliven an der gewünschten Stelle »festkleben«, oder Sie verwenden Kräuterstiele zum Feststecken.

Schöner Leopard

4 Sesambrötchen (→ Seite 8)

4 Sesambrötchen (→ Seite 8)
Einige Blätter Lollo Biondo
40 g Butter
4 Scheiben Bierschinken
(etwa 10 cm ø)
2 Scheiben Schnittkäse (z.B. Chester)
4 Scheiben ungarische Salami
2 schwarze Oliven ohne Stein
8 Maiskörner (Konserve)
8 Gewürzkörner
8 Dillzweige
Außerdem: Salzstangen

1. Die Brötchen zweimal quer durchschneiden. Den Salat waschen. Die unteren Brötchenteile mit Butter bestreichen, mit Salatblättern und dem Bierschinken belegen.

2. Von den mittleren Brötchenteilen jeweils zwei Randstücke von etwa 2 Zentimetern Breite für die Ohren abschneiden ❶. Das mittlere Dreieck mit Butter bestreichen, mit Schnittkäse belegen und auf die Wurstscheibe legen.

3. Die Wurst oberhalb der Käseecke einschneiden und die Brötchenstücke für die Ohren darin festklemmen ❷.

4. Aus den Brötchendeckeln jeweils ein Dreieck herausschneiden ❶. Den restlichen Deckel so auf den Schinken legen, dass das Käsedreieck zu sehen ist ❸.

5. In das offene Dreieck jeweils rechts und links eine Scheibe Salami legen und mit einem Stück Salzstange so befestigen, dass die Salzstange gut 1 Zentimeter hinausragt. Die Oliven in acht Scheiben schneiden, diese auf die Salzstange geben, den Mais und die Gewürzkörner in die Mitte setzen. Dillzweige auf den Käse legen, mit der Deckel-Ecke belegen.

Sanfte Kuh

4 Sesambrötchen (→ Seite 8)
30 g Butter
4 Scheiben Schnittkäse mit
Schinken (etwa 10 cm ø)
8 Scheiben Kalbfleischwurst
(etwa 10 cm ø)
1 Ring rote Paprikaschote
8 Scheiben Schnittkäse (z.B. Chester)
2 Scheiben Schnittkäse (z.B. Edamer)
4 schwarze Oliven ohne Stein
8 Maiskörner (Konserve)
8 Gewürzkörner
Krause Petersilie
Außerdem: **Salzstangen**

1. Die Brötchen zweimal quer durchschneiden. Die unteren Teile mit Butter bestreichen und mit Schnittkäse mit Schinken belegen, die mittleren Teile aufsetzen und mit je einer Scheibe Kalbfleischwurst und Chester belegen.

2. Aus dem Paprika-Ring vier runde Stücke schneiden und diese als Maul auf den Brötchenrand legen ❶.

3. In die Brötchendeckel für die Ohren jeweils zwei Löcher von 2 Zentimetern Durchmes-

ser schneiden. Die Deckel mit Butter bestreichen und auf die belegten Brötchen legen. Dabei sollen sich die Löcher rechts und links von dem Paprikastück befinden.

4. Die restlichen vier Scheiben Kalbfleischwurst halbieren, etwas einrollen und als Ohren in die ausgestochenen Öffnungen stecken. Aus dem Chester Hörner von 5 Zentimetern Länge schneiden ❷ und hinter den Ohren in die Öffnungen stecken.

5. Aus dem Edamer vier ovale Stücke von 4 Zentimetern Länge für die Schnauze herausschneiden und jeweils zwei Löcher einstechen. Die Schnauze mithilfe von Salzstangen über dem Paprika-Maul am Brötchen befestigen.

6. Aus den Oliven acht Scheiben herausschneiden, Maiskörner hineingeben und Gewürzkörner aufdrücken. Als Augen über der Schnauze anordnen. Zuletzt die Petersilie auflegen.

Stelzvogel

4 Sesambrötchen (→ Seite 8)
Einige Blätter Lollo Biondo
40 g Butter
4 Scheiben Kalbfleischwurst
(etwa 10 cm ø)
4 Scheiben ungarische Salami
8 grüne Bohnen (Konserve)
4 dicke Salzstangen
4 grüne Oliven
1 kleine Möhre (Konserve)
4 Maiskörner (Konserve)
8 Gewürzkörner
1 Stück rote Paprikaschote oder
Peperoni

1. Die Brötchen quer durchschneiden. Den Salat waschen und trockentupfen. Die unteren Brötchenteile mit
Butter bestreichen und jeweils ein
Blatt als Schwanz darauflegen. Der
Schwanz soll 6 bis 8 Zentimeter über
das Brötchen hinausragen. Je eine
Scheibe Kalbfleischwurst auf die
untere Brötchenhälfte legen.

2. Salamischeiben halbieren und
aus den Hälften zwei kleine Dreiecke
herausschneiden. Die gezackten Sala-
mikrallen an den grünen Bohnen
befestigen und diese »Beine« so vorn
rechts und links auf die Brötchen
legen, dass sie es um ein paar Zentimeter überragen.

3. Die Brötchendeckel in drei Stücke
schneiden ❶. Die Stücke jeweils auf
der Unterseite mit Butter bestreichen
und so auf dem unteren Brötchenteil
anordnen, dass das mittlere Teil die
beiden äußeren fingerbreit überragt.
In die Mitte eine Salzstange stecken
❷, darauf jeweils eine Olive befestigen.

4. Die Oliven an der Vorderseite etwas einritzen, die Möhre zurechtschneiden und ein Stückchen hineinschieben. Die Maiskörner halbieren,
Gewürzkörner hineindrücken und den
Mais mithilfe von Salzstangenstückchen an den Oliven befestigen. Auf
den Oliven ein Stück Paprika oder
Peperoni mit einem Salzstangenstück
befestigen.

Frecher Sperling

4 kleine Eier (am besten Wachteleier)
4 Sesambrötchen (→ Seite 8)
40 g Butter
4 Scheiben Bierschinken
(etwa 10 cm ø)
Einige Blätter Lollo Rosso
1 rote Paprikaschote
4 kleine grüne Oliven
8 Gewürzkörner
12 dicke Salzstangen
Außerdem: **Salzstangen**

1. Die Eier hart kochen, abschrecken und schälen. Die Brötchen halbieren. Die unteren Teile mit Butter bestreichen, die Wurstscheiben auflegen. Salat waschen, jeweils drei Salatblätter zusammenfalten und als Flügel und Schwänzchen auf der Wurstscheibe anordnen.

2. In die Brötchendeckel eine Öffnung von 3 Zentimetern Länge und 1 Zentimeter Höhe schneiden (Bild).

Mit Butter bestreichen und die Deckel auf die Wurstscheibe und die Salatblätter legen.

3. Aus Paprika acht Stücke von 6 mal 3 Zentimetern schneiden. Die Quadrate diagonal durchschneiden, sodass Dreiecke entstehen. Jeweils zwei Dreiecke aufeinanderlegen und als Schnabel in die oberen Brötchenstücke stecken.

4. Die Eier halbieren und die Hälften über dem Schnabel als Augen anordnen. Dazu ein etwa 3 Zentimeter langes Stück Salzstange in die oberen Brötchenstücke stecken und zwar so, dass ein Zentimeter herausragt. Darauf die Eihälften stecken.

5. Von den Oliven jeweils die Enden abschneiden, diese in die Mitte der Eier legen und Gewürzkörner hineindrücken. Die dicken Salzstangen halbieren und als Füße unter die Brötchen legen.

Unser Tipp

Wenn Sie keine Wachteleier bekommen, verwenden Sie Hühnereier. Sind die Hälften zu groß, schneiden Sie die runden Enden ab und legen diese als Augen auf.

Schweinchen

4 Sesambrötchen (→ Seite 8)
40 g Butter
1 schlanke Salatgurke
4 Tomaten
Einige Blätter Lollo Biondo
4 Scheiben Bierschinken
(etwa 10 cm ø)
4 Scheiben Schnittkäse
(z. B. Tilsiter, etwa 10 cm ø)
4 Scheiben Kalbfleischwurst
8 Gewürzkörner
8 Maiskörner (Konserve)
1 Stück rote Paprikaschote
4 schwarze Oliven ohne Stein

1. Die Brötchen zweimal quer durchschneiden. Die oberen Teile beiseitelegen, die beiden anderen Teile jeweils mit Butter bestreichen.

2. Gurke, Tomaten und Salat waschen. Von den Tomaten den Stielansatz entfernen. Gurke und Tomaten in dünne Scheiben schneiden. Die mittleren Brötchenteile mit Gurkenscheiben, die unteren mit Tomatenscheiben belegen. Auf die Tomaten den Bierschinken, auf die Gurken den Käse legen. Alles zusammensetzen und mit Salatblättern bedecken.

3. Die Brötchendeckel auf der Unterseite mit Butter bestreichen und auf die Salatblätter legen. Aus der Kalbfleischwurst vier Kreise von 3 Zentimetern Durchmesser ausschneiden. In die Mitte der Kreise kleine Löcher schneiden ❶ und die Kreise als Schnäuzchen auf den vorderen Teil der oberen Brötchenstücke legen. Aus der restlichen Wurst Ohren ❶ und Schwänzchen ❷ schneiden.

4. Für die Ohren die Brötchen im oberen Drittel einschneiden und die Wurststücke hineinschieben.

5. Die Gewürzkörner in den Mais drücken und den Mais als Augen auflegen. Aus Paprika einen kleinen Mund schneiden und auf das Schnäuzchen legen. Die Oliven halbieren und aus den Hälften ein kleines Dreieck herausschneiden. Die so entstandenen Füßchen auf dem Salatblatt anordnen. Zuletzt das Schwänzchen anlegen und einrollen.

Brummbär

4 Sesambrötchen (→ Seite 8)
40 g Butter
4 Scheiben Schnittkäse
(z.B. Gouda, etwa 10 cm ø)
Einige Blätter Lollo Biondo
4 Scheiben Kochschinken
(etwa 10 cm ø)
4 Scheiben Kalbfleischwurst
4 kleine runde Käse (Babybel)
2 schwarze Oliven ohne Stein
1 Stück rote Paprikaschote
4 gefüllte grüne Oliven
Außerdem: **Salzstangen**

1. Die Brötchen quer durchschneiden, die unteren Teile mit Butter bestreichen und mit Schnittkäse belegen. Salat waschen und so auf den Käsescheiben anordnen, dass eine Halskrause entsteht. Schinkenscheiben darauflegen.

2. In die oberen Brötchenteile zwei Löcher von 1 Zentimeter Durchmesser für die Ohren und darunter ein Loch von 3 $\frac{1}{2}$ Zentimetern Durchmesser für die Schnauze schneiden. Auf die Schinkenscheiben legen.

3. Aus der Kalbfleischwurst Kreise von 4 Zentimetern Durchmesser ausstechen. Die Kreise etwas einrollen, in die kleinen Löcher stecken (Bild).

Den Käse in das große Loch legen und ein Stück Salzstange so hineinstecken, dass es in der Käsemitte 1 Zentimeter herausragt. Die schwarzen Oliven halbieren und jeweils eine Hälfte auf die Salzstangen stecken.

4. Aus der Paprikaschote kleine Stücke für den Mund herausschneiden, auf den Käse legen. Die grünen Oliven halbieren, jeweils zwei über dem Käse anordnen und mit Salzstangenstückchen befestigen.

Unser Tipp

Anstelle von Kalbfleischwurst können Sie auch andere helle Wurstsorten verwenden, zum Beispiel Geflügellyoner oder sächsischen Leberkäse.

34

Schildkröte

4 Sesambrötchen (→ Seite 8)
40 g Butter
4 Scheiben Kalbfleischwurst
(etwa 8 cm ø)
2 kleine runde Käse (z. B. Babybel)
4 grüne Oliven
8 Gewürzkörner
4 Maiskörner (Konserve)
1 Stück rote Paprikaschote

1. Die Brötchen zweimal quer durchschneiden. Die mittleren Teile vierteln. In die Ränder der oberen und unteren Teile in gleichmäßigen Abständen vier etwa 2 Zentimeter breite Spalten schneiden ❶.

3. Die Brötchendeckel auf der Unterseite mit Butter bestreichen und passgenau auflegen. In die eingeschnittenen Spalten die Teile des mittleren Brötchenstücks mit der Rundung nach oben stecken ❸.

2. Das untere Teil mit Butter bestreichen. Die Wurst vierteln und die Viertel auf das untere Brötchenstück legen. Die runden Käse quer durchschneiden, von jeder Hälfte eine Scheibe abschneiden und jeweils in die Mitte auf die Wurst legen ❷.

4. Die restlichen Käsestücke mit der Rundung nach oben unter das obere Brötchenstück schieben. Die Oliven in der Mitte durchschneiden, Gewürzkörner hineinstecken und die Oliven als Augen auf den Käse legen. Darunter ein Maiskorn legen. Rote Paprika in Streifen schneiden und dekorativ auf dem Brötchen verteilen.

Lustiger Affe

4 Sesambrötchen (→ Seite 8)
Einige Blätter Lollo Rosso
30 g Butter
4 Scheiben Butterkäse
4 Scheiben Kalbfleischwurst
(etwa 10 cm ø)
12 Scheiben ungarische Salami
4 Scheiben Schnittkäse (z. B. Gouda)
4 gefüllte grüne Oliven
4 Maiskörner (Konserve)
8 Gewürzkörner
Außerdem: **Salzstangen**

1. Die Brötchen quer durchschneiden. Salat waschen. Die unteren Brötchenteile mit Butter bestreichen und mit Salatblättern belegen. Den Butterkäse in Brötchengröße zurechtschneiden, die Scheiben auflegen.

2. Die Wurstscheiben halbieren, die beiden Teile aufeinanderlegen, eine Scheibe Salami dazwischenlegen und zwar so, dass die Hälfte der Salamischeibe als Zunge über den runden Wurstrand ragt. Dies auf den Käse legen, sodass die Scheiben über das Brötchen hinausragen.

3. Die Brötchendeckel in der Mitte teilen. In die eine Hälfte zwei Löcher von 1 Zentimeter Durchmesser stechen ❶. Diese Hälften jeweils mit der Rundung nach vorn auf die Kalbfleischwurst legen. Dahinter jeweils zwei Scheiben Salami aufstellen.

4. Aus dem Schnittkäse Kreise von 5 Zentimetern Durchmesser ausschneiden. Jeweils zwei Kreise hinter den Salamischeiben aufstellen und mit Salzstangenstückchen festklemmen. Dahinter die andere Hälfte der Brötchendeckel anlegen.

5. Oliven in acht Scheiben schneiden. Maiskörner halbieren, Gewürzkörner hineindrücken ❷, auf die Olivenscheiben legen und alles vor den Salamischeiben anordnen. Ein Stück Salatblatt als Locke auflegen.

Munterer Krebs

4 Sesambrötchen (→ Seite 8)
40 g Butter
8 Scheiben Schnittkäse (z. B. Edamer)
4 Scheiben Salami (etwa 9 cm ø)
4 schwarze Oliven ohne Stein
8 Maiskörner (Konserve)
8 Gewürzkörner
4 Scheiben ungarische Salami
8 Stängel Schnittlauch
$^1/_2$ schlanke Salatgurke
Außerdem: **Salzstangen**

1. Die Brötchen zweimal quer durchschneiden. Die unteren Brötchenteile mit Butter bestreichen. Vier Scheiben Käse jeweils in sechs etwa 6 mal 2 Zentimeter große Streifen schneiden. Die Streifen auf den unteren Brötchenteilen anordnen und zwar so, dass sie 3 Zentimeter über die Brötchenränder ragen ❶. Salamischeiben darauflegen und damit die Käsestreifen fixieren.

2. Aus den mittleren Brötchenteilen ein Rechteck von 3 mal 4 Zentimeter herausschneiden, sodass eine U-Form entsteht. Das Rechteck anderweitig verwenden. Die restlichen vier Scheiben Käse ebenfalls in U-Form bringen ❶, auf das Brötchen-U legen und alles auf die vordere Hälfte des unteren Brötchenteils legen.

3. Die Brötchendeckel auf der Unterseite mit Butter bestreichen und aufsetzen. Vorn im Abstand von 3 Zentimetern zwei Salzstangenstückchen hineinstecken. Oliven halbieren, in die Mitte Maiskörner stecken und Gewürzkörner hineindrücken. Die Oliven als Augen auf die Salzstangen stecken ❷.

4. Die ungarische Salami zusammengeklappt unter die Augen auf den Käse legen. Zwei Stängel Schnittlauch über der Salami einklemmen. Gurke in Scheiben schneiden, ein Dreieck heraustrennen und die Gurkenscheiben auf die Käseenden legen.

Skorpion

4 Sesambrötchen (→ Seite 8)
30 g Butter
4 Scheiben Salami
1 schlanke grüne Gurke
4 Scheiben Schnittkäse (z.B. Gouda)
8 Maiskörner (Konserve)
8 Gewürzkörner
1 Stück rote Paprikaschote
Außerdem: **Salzstangen**

1. Die Brötchen zweimal quer durchschneiden. Aus den unteren Teilen jeweils ein 2 mal 2 Zentimeter großes Quadrat herausschneiden, in das das Schwanzstück geklemmt werden soll ❶. Die unteren Teile mit Butter bestreichen und mit Salami belegen.

2. Aus den mittleren Teilen ein Rechteck von 4 mal 3 Zentimetern herausschneiden, sodass ein u-förmiges Teil entsteht ❶. Das Recht-

eck anderweitig verwenden. Den Brötchendeckel längs in sechs Stücke schneiden. Die Gurke in Scheiben schneiden.

3. Die Käsescheiben im Zickzack-muster in sechs lange Dreiecke schneiden ❷. Diese auf die Salami legen, und zwar so, dass die spitzen Enden 4 Zentimeter über das Bröt-chen hinausragen.

4. Die oberen Brötchenstücke auf-legen, in die Lücken Gurkenscheiben stecken. Das u-förmige Brötchen-stück als Schwanzstück anlegen.

5. In den Mais Gewürzkörner drü-cken und den Mais mit den runden Seiten zueinander als Augen auf das vordere Brötchenstück legen. Darun-ter ein Stück Salzstange in das Bröt-chen stecken und ein Stückchen Gurke daraufspießen.

6. Zum Schluss aus Paprika eine Zunge schneiden und unter das vor-dere Brötchenstück schieben.

Erstaunlich, wie sich Brot verwandeln lässt! Aus einer schlichten Brotscheibe kann man mit etwas Fantasie, Finger- fertigkeit und farbenfrohem Belag Elefanten, Rentiere, Fluss- pferde, Bären, Löwen, Füchse oder Esel fabrizieren. In jedem Fall werden Sie eine Menge Spaß bei der Herstellung der feinen Häppchen haben. Und Ihre Gäste ebenfalls: Die Kreationen sind eine Freude für das Auge wie auch für den Gaumen.

Helles Brot

500 g Weizenmehl
30 g Hefe
$^1/_4$ l lauwarme Milch
$^1/_2$ TL Salz
50 g weiche Butter
1 Ei
Außerdem: **1 Ei**

1. Das Mehl in eine Schüssel sieben, in die Mitte eine Vertiefung drücken. Die Hefe zerbröckeln, in der Hälfte der Milch auflösen und die Hefemilch in die Vertiefung gießen. Etwas Mehl vom Rand einrühren und einen breiartigen Vorteig bereiten. Zugedeckt 20 Minuten an einem warmen Ort gehen lassen.

2. Auf dem Mehlrand Salz, Butter und das Ei verteilen. Von der Mitte her die Zutaten zu einem glatten Teig verkneten, dabei die restliche Milch zugeben. Zugedeckt nochmals 30 Minuten an einem warmen Ort gehen lassen.

3. Den Backofen auf 200 °C (Gas Stufe 3, Umluft 180 °C) vorheizen. Den Teig auf bemehlter Fläche durchkneten und in eine runde Form bringen. Ein Backblech mit Butter einfetten oder Backpapier auflegen. Das Brot darauflegen.

4. Ei mit 1 Esslöffel Wasser verrühren, das Brot damit bestreichen und etwa 50 Minuten backen. Herausnehmen und auf einem Kuchengitter abkühlen lassen.

Unsere Tipps

Die Form, die Sie dem Brot geben, bleibt Ihnen überlassen. Sie können auch ein ovales Brot backen oder den Teig in eine Kasten- oder Brotform geben, wodurch es eine eckige Form erhält. Damit Ihr Brot gelingt, sollten Sie beachten, dass frische Hefe keine unmittelbare Berührung mit Salz mag, denn es entzieht den Hefezellen die Feuchtigkeit. Auch der unmittelbare Kontakt mit Fett sollte vermieden werden, denn Fett verhindert, dass sich die Hefezellen vermehren und der Teig aufgeht. Halten Sie lauwarme Flüssigkeit bereit. Zu heiße Flüssigkeit (über 38 °C) tötet Hefebakterien ab, und der Teig geht nicht auf. Zu kalte Flüssigkeit hingegen bremst die Triebkraft, der Teig geht nur sehr langsam auf.

Dunkles Brot

65 g Hefe
1 l lauwarme Milch
750 g Roggenmehl
750 g Weizenmehl
1 TL Salz
6 EL dunkler Holundersirup

1. Die Hefe zerbröckeln und in etwas Milch auflösen. Die beiden Mehlsorten in eine Schüssel sieben, vermischen und in die Mitte eine Vertiefung drücken. Die Hefemilch hineingießen, etwas Mehl vom Rand einrühren und den Vorteig zugedeckt an einem warmen Ort 20 Minuten gehen lassen.

2. Salz und Sirup auf den Mehlrand geben. Von der Mitte her die Zutaten zu einem glatten Teig verkneten, dabei die restliche Milch zufügen. Den Teig zugedeckt weitere 30 Minuten gehen lassen.

3. Den Backofen auf 200 °C (Gas Stufe 3, Umluft 180 °C) vorheizen. Den Teig nochmals durchkneten und drei kleine runde Brote formen.

4. Ein Backblech einfetten, die Brote auflegen und etwa 50 Minuten backen. Herausnehmen und auf einem Kuchengitter abkühlen lassen.

Unsere Tipps

Wenn Sie nicht alle Brote sofort verbrauchen, können Sie einen Teil davon einfrieren. Sie können auch ein großes Brot backen: Den Teig in eine längliche Brotform bringen, danach leicht flach drücken und beide Seiten so übereinanderschlagen, dass die typische Stollenform entsteht. 1 Stunde backen.
So bereitet man dunklen **Holundersirup:** *1 Kilogramm frisch gepflückte reife Holunderbeeren von den Stielen streifen, in einem Topf mit 300 Millilitern Wasser zum Kochen bringen und 10 Minuten köcheln lassen. Den Topfinhalt durch ein Haarsieb gießen, den Saft dabei auffangen und zurück in den Topf geben. Den Saft mit 1 Kilogramm Zucker und 1 Prise Zimt erneut zum Kochen bringen und 20 Minuten köcheln lassen. Den Sirup in heiß ausgespülte Twist-off-Gläser füllen, sofort gut verschließen und kühl lagern.*

Listiger Fuchs

1 rundes Brot (500 g)
8 Scheiben Kalbfleischwurst
2 schwarze Oliven ohne Stein
8 gefüllte grüne Oliven
Dillzweige
Krause Petersilie
Außerdem: **Salzstangen**

1. Das Brot halbieren, dann in Viertel schneiden. Aus jedem Brotstück vom äußeren Rand her ein Dreieck herausschneiden, sodass eine hochgeklappte etwa 2 Zentimeter dicke Brotscheibe (sieht aus wie ein Sitz mit Lehne) entsteht.

2. In die oberen Brotteile am oberen Rand jeweils ein 3 Zentimeter tiefes Dreieck schneiden. Darunter zwei Löcher von 1 $\frac{1}{2}$ Zentimetern Durchmesser ausstechen ❶. Die ausgestochenen Stücke beiseitelegen.

3. Vier Wurstscheiben teilen, dabei soll eine Hälfte etwas größer ausfallen. Die kleineren Hälften auf die vorderen Brotteile legen, dann die anderen Hälften darauflegen. Von unten her ein Stück Salzstange in die vorderen Brotteile stecken, die Olivenhälften auf die Salzstange stecken. Das obere Wurststück etwas anheben.

4. Aus den restlichen Wurstscheiben vier Kreise von 8 Zentimetern Durchmesser schneiden. Die Kreise halbieren, einrollen ❷ und in den Brotlöchern befestigen.

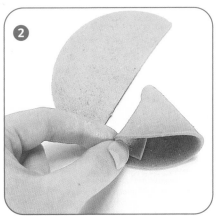

5. Die beiseitegelegten Brotkreise mit einem Loch versehen, jeweils eine Olive hineinklemmen, dann in die Wurststücke setzen. Dillzweige und Petersilie anlegen.

Putziger Löwe

1 rundes Brot (500 g)
16 Scheiben Lyoner vom Ring
4 Scheiben Kalbfleischwurst
4 grüne Oliven ohne Stein
8 Gewürznelken
2 schwarze Oliven ohne Stein
Dillzweige
Krause Petersilie
Außerdem: Salzstangen

1. Aus dem Brot vier Stücke zurechtschneiden (→ »Listiger Fuchs«, Seite 48). Aus den hinteren Brotteilen ein 4 Zentimeter breites Stück herausschneiden. Auf die vorderen Teile je eine Scheibe Lyoner legen ❶.

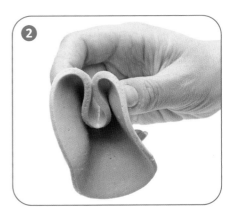

2. Die Kalbfleischwurst am Rand etwas einschlagen, dann zusammendrücken ❷ und mit den offenen Seiten in das ausgeschnittene Loch schieben. Jeweils eine Scheibe Lyoner zusammenklappen und in die Oberseite der Kalbfleischwurst schieben ❸.

3. Grüne Oliven teilen, in jede Hälfte eine Nelke stecken und rechts und links an der Wurstscheibe befestigen. Schwarze Oliven in Stücke schneiden, auflegen, mithilfe von Salzstangenstücken befestigen. Jeweils zwei Scheiben Lyoner als Ohren anlegen, mit Salzstangen befestigen. Zuletzt mit Petersilie und Dill dekorieren.

Don Pedro

1 rundes Brot (etwa 500 g)
4 Scheiben Kalbfleischwurst
(etwa 6 cm ø)
8 gefüllte grüne Oliven
8 Gewürzkörner
8 Scheiben Lyoner (vom Ring)
4 schwarze Oliven ohne Stein
8 Scheiben ungarische Salami
Dillzweige
Außerdem: Salzstangen

1. Aus dem Brot vier Stücke zurechtschneiden (→ »Listiger Fuchs«, Seite 48).

2. In die Mitte der hinteren Brotteile ein 3 Zentimeter tiefes Dreieck einschneiden. Kalbfleischwurst aufrollen, das Ende in die entstandene Lücke klemmen.

3. In die Füllung der grünen Oliven Gewürzkörner drücken. Rechts und links neben der Kalbfleischwurst in die hinteren Brotteile Salzstangenstücke stecken, die grünen Oliven als Augen daran befestigen.

4. Auf die vorderen Brotteile jeweils zwei Scheiben Lyoner legen. Für die »Pfeife« ein Stück Salzstange dazwischenschieben, die schwarzen Oliven daraufstecken.

5. In vier Salamischeiben ein Loch von 1 ½ Zentimetern Durchmesser stechen ❶, die Scheiben als Hutrand auf die Wurstrollen setzen. Die restlichen Salamischeiben einrollen und hochkant aufsetzen ❷.

6. Zum Schluss zwischen Nase und Mund die Dillzweige als Schnurrbart auflegen.

Wilder Bär

1 rundes Brot (500 g)
4 Scheiben Kalbfleischwurst
8 Scheiben Salatgurke
4 Stück rote Paprikaschote
(etwa 3 cm ø)
12 schwarze Oliven ohne Stein
8 Maiskörner (Konserve)
8 Gewürznelken
Einige Blätter Lollo Rosso
Außerdem: **Salzstangen**

1. Aus dem Brot vier Stücke zurechtschneiden (→ »Listiger Fuchs«, Seite 48).

2. In die Mitte der hinteren Brotteile jeweils ein Loch von 1 $\frac{1}{2}$ Zentimetern Durchmesser stechen. Danach das Brot oben und unten vorn an der Rinde etwa 2 Zentimeter tief einschneiden ❶.

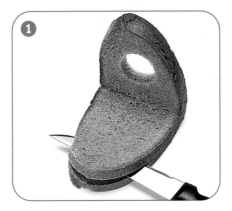

3. Die Wurstscheiben zusammenrollen ❷, hochkant auf die vorderen Brotteile setzen und die Wurstenden durch die Löcher ziehen, sodass die Wurstscheiben Halt bekommen.

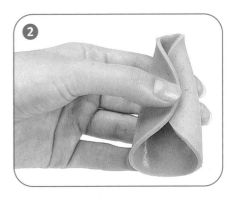

In die Einschnitte der hinteren Brotteile jeweils zwei Gurkenscheiben klemmen, in die vorderen Einschnitte jeweils ein Stück Paprika.

4. Rechts und links über den zusammengerollten Wurstscheiben jeweils zwei Salzstangenstückchen einstechen. In acht Oliven jeweils ein Maiskorn geben und Nelken daraufstecken. Die Oliven an den Salzstangen befestigen.

5. In die Mitte der vorderen Brotteile jeweils ein Stück Salzstange stecken, die restlichen Oliven darauf aufspießen. Den Salat zerteilen und waschen. Je ein Blättchen zwischen die Ohren legen und die Bären auf ein Salatbett setzen.

Elefantenbaby

1 rundes Brot (500 g)
4 Scheiben Kalbfleischwurst
4 kleine Salatgurken oder
Gewürzgurken
8 Maiskörner (Konserve)
8 schwarze Oliven ohne Stein
8 Radieschenscheiben
Krause Petersilie
8 Salatblätter (z. B. Feldsalat)
Außerdem: **Salzstangen**

1. Aus dem Brot vier Stücke zurechtschneiden (→ »Listiger Fuchs«, Seite 48). In die vorderen und hinteren Brotteile jeweils ein Loch von 1 $\frac{1}{2}$ Zentimetern Durchmesser schneiden. Dann die Brotstücke mit der Spitze nach hinten aufstellen.

2. Die Wurstscheiben zusammenklappen, und zwar so, dass die Unterseite 1 Zentimeter vorsteht. Die Enden der Wurstscheiben jeweils in die Löcher stecken (Bild).

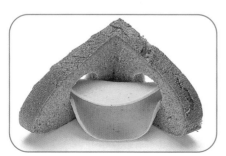

3. Mit einem Spiralschneider die Gurke aufschneiden oder die Gurke mit dem Messer in feine Scheiben schneiden, die Scheiben dürfen aber nicht ganz durchgeschnitten werden. Die Spirale leicht auseinanderziehen, das Ende auf die Kalbfleischwurst legen.

4. Die Maiskörner in die Oliven stecken. Jeweils eine Radieschenscheibe und eine Olive auf ein Stück Salzstange spießen. In die Mitte der Brote jeweils zwei Spieße als Augen stecken. Petersilie auflegen und jeweils rechts und links hinter den Broten Salatblätter als Ohren anlegen oder befestigen.

Unser Tipp

Anstelle von Gurken können Sie auch eine kleine dünne Zucchini verwenden. Insbesondere junge Zucchini schmecken nicht nur gekocht, sondern auch roh. Allerdings muss die Qualität stimmen: Beachten Sie beim Einkauf, dass sie eine zarte grüne Farbe haben, dann sind sie knackig, das Fruchtfleisch leuchtet hellgrün, und sie schmeckt am besten.

Mutiges Rentier

1 rundes Brot (500 g)
8 Maiskörner (Konserve)
8 grüne Oliven
8 Gewürzkörner
1 rote Paprikaschote
6 Scheiben Salami
4 Scheiben Schnittkäse (z. B. Edamer)
Krause Petersilie

Unser Tipp

Achten Sie darauf, eine möglichst frische, knackige Paprika zu verwenden. So kommt das Geweih am besten zur Geltung.

1. Aus dem Brot vier Stücke zurechtschneiden (→ »Listiger Fuchs«, Seite 48). Die vorderen Brotteile vorn 2 Zentimeter tief einschneiden ❶. Die Maiskörner in die grünen Oliven stecken und Gewürzkörner hineindrücken. Paprika waschen, putzen und in acht Ringe schneiden.

2. In die hinteren Brotteile jeweils zwei Kerben einschneiden und darunter zwei Löcher von 1 Zentimeter Durchmesser stechen ❶.

3. In die Löcher die Oliven stecken, in die Kerben die aufgeschnittenen Paprikaringe legen. Vier Scheiben Salami zusammenklappen und jeweils in den Einschnitt der vorderen Brothälften legen.

4. Aus dem Käse Kreise von 8 Zentimetern Durchmesser ausrädeln oder ausstechen und auf den vorderen Brotteilen verteilen. Aus den restlichen Salamischeiben Dreiecke schneiden. In jedes Dreieck zwei Löcher von 1 Zentimeter Durchmesser stechen ❷ und die Dreiecke auf die Käsescheiben legen. Petersilie waschen und auf die Brotspitzen legen.

Böser Wolf

1 rundes Brot (500 g)
4 Scheiben Kalbfleischwurst
(etwa 7 cm ø)
4 Scheiben Kalbfleischwurst
(etwa 9 cm ø)
8 grüne Erbsen (Konserve)
4 schwarze Oliven ohne Stein
Dillzweige
1 Scheibe Schnittkäse (z. B. Gouda)
1 Stück rote Paprikaschote
8 Maiskörner (Konserve)
Krause Petersilie
Außerdem: Salzstangen

1. Aus dem Brot vier Stücke zurechtschneiden (→ »Listiger Fuchs«, Seite 48). Aus den hinteren Brotteilen ein langes Dreieck herausschneiden ❶. Die Spitze des Dreiecks – etwa 5 Zentimeter – beiseitelegen. Aus dem Rest der Dreiecks-Stücke jeweils zwei Kreise von 1 Zentimeter Durchmesser ausstechen.

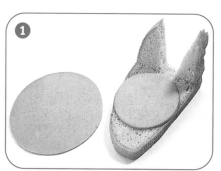

2. Auf die vorderen Brotteile die kleineren Wurstscheiben legen. Die größeren Wurstscheiben zusammenklappen und die entstandenen Hälften zusammendrücken, sodass drei Öffnungen entstehen ❷.

Dies auf die vorderen Brotteile setzen, in die mittlere Öffnung jeweils die Spitze des Brotdreiecks legen und in die anderen beiden Öffnungen jeweils die ausgestochenen kleinen Brotkreise. Die Brotkreise mit Salzstangen am hinteren Brotteil festklemmen.

3. Auf die Enden der Salzstangen Erbsen stecken. Auf die Spitze des Brotdreiecks eine Olive klemmen. Rechts und links Dillzweige anlegen.

4. Aus dem Schnittkäse acht Eckzähne von 3 Zentimetern Länge schneiden. Jeweils zwei unter die Wurstscheiben klemmen. In die Mitte ein Stück Paprika legen, darauf jeweils zwei Maiskörner schieben. Hinter die »Augen« ein Zweiglein Petersilie klemmen.

Treuer Hund

1 rundes Brot (500 g)
4 Scheiben Schnittkäse (z. B. Gouda)
12 Scheiben Lyoner vom Ring
8 Scheiben Kalbfleischwurst
8 schwarze Oliven ohne Stein
8 Preiselbeeren
Dillzweige
1 rote Paprikaschote
Außerdem: Salzstangen

1. Aus dem Brot vier Stücke zurechtschneiden (→ »Listiger Fuchs«, Seite 48).

2. In die hinteren Brotteile jeweils ein Loch von 1 ½ Zentimetern Durchmesser stechen. Die vorderen Brotteile mit Käse bedecken. Jeweils drei Scheiben Lyoner überlappend darauf anordnen.

3. Vier Scheiben Kalbfleischwurst aufrollen, senkrecht auf die Lyoner setzen, dann das obere Wurststück in das Loch klemmen.

4. Aus der Hälfte der Oliven acht Scheiben schneiden. Jeweils auf Salzstangenstückchen stecken und je zwei Scheiben nebeneinander über dem Loch in die hinteren Brotteile stecken. Preiselbeeren vorn an den Salzstangen befestigen, Dill darüberlegen.

5. Die restlichen Kalbfleischwurstscheiben so einschneiden, wie auf dem Foto ❶ dargestellt. Den unteren Teil auf die Spitze der hinteren Brotteile legen und rechts und links die Schlappohren nach vorn klappen ❷.

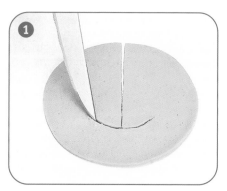

6. Aus Paprika vier Zungen schneiden, zwischen die Lyoner-Wurstscheiben klemmen. Die restlichen Oliven auf Salzstangenstücke stecken und über der Zunge anordnen. Dillzweige auflegen.

Muschel mit Perle

4 **Eier** (am besten Wachteleier)
1 **rundes Brot** (500 g)
8 **Scheiben Kalbfleischwurst**
(etwa 8 cm ø)
8 **Scheiben ungarische Salami**
Krause Petersilie

1. Die Eier hart kochen, dann abkühlen lassen und schälen.

2. Aus dem Brot vier Stücke zurechtschneiden (→ »Listiger Fuchs«, Seite 48). In die Mitte der vorderen und hinteren Brotteile jeweils ein Loch von 1 $\frac{1}{2}$ Zentimetern Durchmesser stechen.

3. Den Rand der Wurstscheiben abrädeln oder die Scheiben mit einem passenden Ausstecher ausstechen – rundum oder jeweils nur die halbe Scheibe ❶.

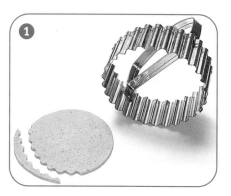

4. Die Wurstscheiben von unten her etwas einkniffen ❷ und in jedes Loch eine Scheibe klemmen, und zwar so, dass ein Mäulchen entsteht.

5. Jeweils zwei Salamischeiben in die Öffnung legen, das Ei dazwischenschieben. Die Petersilie waschen, abzupfen und anlegen.

Unser Tipp

Petersilie enthält reichlich Kalzium, Kalium und Eisen. Beachten Sie beim Einkauf, dass die Blätter knackig sind und keine gelben Spitzen haben. Petersilie welkt sehr schnell, deshalb sollte man sie gleich nach dem Einkauf kurz abbrausen. Dann die Stiele kürzen und ins Wasser stellen.

Fauler Hahn

1 rundes Brot (500 g)
4 Scheiben Kalbfleischwurst
(etwa 9 cm ø)
4 kleine Möhren (Konserve)
4 schwarze Oliven ohne Stein
8 Maiskörner
4 Scheiben Schnittkäse
1 rote Paprikaschote
Einige Blätter Lollo Rosso
Schnittlauch
Außerdem: **Salzstangen**

diese auf den vorderen Brotteilen anlegen.

1. Aus dem Brot vier Stücke zurechtschneiden (→ »Listiger Fuchs«, Seite 48). In die hinteren Brotteile jeweils ein Loch von 1 $\frac{1}{2}$ Zentimetern Durchmesser stechen. Die Fleischwurst aufrollen, hochkant auf die vorderen Brotteile legen und in das ausgestochene Loch klemmen. Darüber jeweils eine Möhre in das Loch stecken.

2. Über der Möhre rechts und links Salzstangenstücke in das Brot schieben. Aus den Oliven acht Scheiben schneiden, diese auf die Salzstangen hängen und Maiskörner aufstecken.

3. Aus den Käsescheiben Kreise von 9 Zentimetern Durchmesser ausrädeln oder ausstechen (Bild). Aus den Kreisen »Flügel« schneiden und

4. Aus Paprika vier Hahnenkämme und acht Füßchen ausschneiden. Die Hahnenkämme jeweils auf die Oberseite der hinteren Brotteile klemmen.

5. Den Salat waschen, einige Blätter hinter dem Hahnenkamm anordnen und Schnittlauchhalme dazwischenklemmen. Vorn unter die Wurst jeweils zwei Salzstangen schieben und die Füßchen daran befestigen.

Unser Tipp

Zum Ausstechen der Löcher eignen sich Ausstechförmchen, Schälchen, Tassen oder Gläser mit nicht zu dickem Rand.

Meerjungfrau

1 rundes Brot (500 g)
8 Scheiben Kalbfleischwurst
4 Scheiben Lyoner (vom Ring)
4 schwarze Oliven ohne Stein
8 Erbsen (Konserve)
Krause Petersilie
Dillzweige
Außerdem: Salzstangen

1. Aus dem Brot vier Stücke zurechtschneiden (→ »Listiger Fuchs«, Seite 48). In die hinteren Brotteile jeweils ein 5 Zentimeter tiefes Dreieck schneiden ❶.

2. Vier Scheiben Kalbfleischwurst aufrollen, hochkant auf die vorderen Brotteile stellen, das obere Wurstende in die entstandene Öffnung klemmen.

3. Von den übrigen Wurstscheiben den äußeren Rand 1 Zentimeter breit abschneiden, den Vorgang noch einmal wiederholen ❷. Die Ringe aufschneiden und die entstandenen Wurstbänder als Locken über die hinteren Brotteile legen.

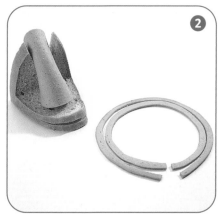

4. Die vorderen Brotteile vorn an der Rinde 1 Zentimeter tief einschneiden ❶, jeweils eine Scheibe Lyoner hineinklemmen. Oliven in acht Scheiben schneiden.

5. Aus der restlichen Kalbfleischwurst Ringe von 3 Zentimetern Durchmesser schneiden und diese neben der Nase anordnen. Die Ringe mit Salzstangenstückchen befestigen, die Olivenscheiben auf die Salzstangen schieben und die Erbsen daraufstecken.

6. Petersilie und Dillzweige zurechtzupfen und die Meerjungfrau damit herausputzen.

Stolzer Pfau

1 rundes Brot (500 g)
8 Scheiben Kalbfleischwurst
(etwa 9 cm ø)
4 Scheiben Kräuter-Schnittkäse
Einige Blätter Lollo Rosso
20 gefüllte grüne Oliven
4 schwarze Oliven ohne Stein
1 Stück rote Paprikaschote
Krause Petersilie
Außerdem: **Salzstangen**

1. Aus dem Brot vier Stücke zurechtschneiden (→ »Listiger Fuchs«, Seite 48). In die vorderen Brotteile ein Loch von 1 $\frac{1}{2}$ Zentimetern Durchmesser stechen.

2. Vier Scheiben Wurst jeweils zusammenklappen, einrollen, mit dem geschlossenen Teil nach vorn auf das vordere Brotteil legen ❶ und in dem Loch festklemmen ❷.

3. Die restlichen Wurstscheiben mit einem Schneiderädchen auf einen Durchmesser von 7 Zentimetern ausrädeln, in der Mitte durchschneiden. Die Käsescheiben in gleicher Größe wie die Wurstscheiben ausrädeln und ebenfalls halbieren. Den Salat waschen.

4. Zwischen die aufgerollte Wurstscheibe und das hintere Brotteil jeweils eine halbe Wurstscheibe, ein Salatblatt, eine halbe Käsescheibe und als letzte Schicht wieder ein Salatblatt klemmen.

5. Die grünen Oliven halbieren, oben auf das hintere Salatblatt legen und mithilfe von Salzstangen am Brot befestigen.

6. Zuletzt am vorderen Brotrand die schwarzen Oliven auflegen, in die Olivenspitze ein Stück Paprika stecken. Petersilie auflegen.

Opa mit Hut

1 rundes Brot (500 g)
4 Scheiben Jagdwurst
8 Scheiben Schnittkäse (z.B. Gouda)
12 Scheiben Kalbfleischwurst
(etwa 7 cm ø)
4 grüne Oliven
8 Maiskörner (Konserve)
2 Kirschtomaten
Einige Blätter Lollo Biondo
4 kleine rote Paprikaschoten
Außerdem: **Salzstangen**

1. Aus dem Brot vier Stücke zurechtschneiden (→ »Listiger Fuchs«, Seite 48). In die hinteren Brotteile jeweils ein Rechteck von 2 mal 4 Zentimetern schneiden.

2. Jagdwurstscheiben halbieren, und zwar so, dass eine Hälfte etwas größer ausfällt. Aus vier Käsescheiben jeweils einen Kreis von 7 Zentimetern Durchmesser ausrädeln, aus dem restlichen Käse insgesamt acht ovale Stücke von 5 Zentimetern Länge ausrädeln.

3. Die runden Käsescheiben auf die vorderen Brotteile legen, die Jagdwursthälften darauf anordnen – die kleinere auf die größere legen –, dann rechts und links auf der Jagdwurst die ovalen Käsestücke anlegen.

4. Vier Scheiben Kalbfleischwurst zusammenrollen, jeweils hochkant an die hinteren Brotteile legen und den oberen Wurstteil in der Öffnung nach unten schieben. Die restlichen Wurstscheiben aufrollen, etwas zusammendrücken und jeweils zwei Scheiben mit der Öffnung nach vorn über die erste Scheibe in die Öffnung legen (Bild).

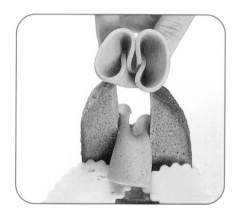

5. Oliven in Scheiben schneiden. Salzstangen in die beiden oberen Wurstrollen schieben, jeweils eine Olivenscheibe und ein Maiskorn daran befestigen. Die Kirschtomaten halbieren und mithilfe von Salzstangen auf dem unteren Ende der aufgerollten Kalbfleischwurst befestigen.

6. Den Salat waschen, einige Blätter auf den hinteren Brotteilen anordnen. Die Paprikaschoten waschen, putzen, den Deckel abschneiden und die Spitze als Hut über den Salat stülpen.

Zwerg Nase

1 rundes Brot (500 g)
1 Wiener Würstchen
8 grüne Oliven
8 Gewürzkörner
4 Möhren (Konserve)
8 Scheiben ungarische Salami
1 Stück rote Paprikaschote
2 Scheiben Weißbrot
4 Maiskörner
Außerdem: **Salzstangen**

1. Aus dem Brot vier Stücke zurechtschneiden (→ »Listiger Fuchs«, Seite 48). Die Brotstücke so aufstellen, dass die spitze Ecke nach vorn zeigt. 4 Zentimeter unterhalb der Ecke das Brotstück 3 Zentimeter tief einschneiden. Die Kante auf der unteren Seite ringsum 1 Zentimeter abschneiden **❶**.

2. Das Würstchen in acht Scheiben schneiden. Jeweils zwei Scheiben mithilfe von Salzstangenstückchen am oberen Teil rechts und links neben die Brotecke stecken. Auf jede Scheibe eine Olive und darauf ein Gewürzkorn stecken. Die Möhre dazwischen legen und ebenfalls mit Salzstangen befestigen.

3. Zwei Salamischeiben übereinander legen und in den Einschnitt schieben. Ein Stück Salzstange zwischen die Wurstscheiben klemmen. Aus der Paprikaschote vier Quadrate und vier kleine Rauten schneiden. Die Rauten jeweils am Ende der Salzstange befestigen.

4. Aus den Weißbrotscheiben vier Kreise von 4 Zentimetern Durchmesser ausstechen **❷**, die Kreise auf das Brotdreieck legen, darauf mithilfe von Salzstangenstücken jeweils ein Maiskorn und ein Paprikaquadrat befestigen.

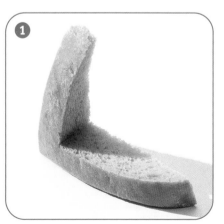

Wilder Stier

1 rundes Brot (500 g)
4 Scheiben Schnittkäse (z. B. Gouda)
4 Scheiben Lyoner (vom Ring)
4 Scheiben Kalbfleischwurst
(etwa 9 cm ø)
4 Scheiben Kalbfleischwurst
(etwa 6 cm ø)
8 gefüllte grüne Oliven
Krause Petersilie
4 Scheiben Salatgurke
4 Ringe aus roter Paprikaschote
Salatblätter
Außerdem: **Salzstangen**

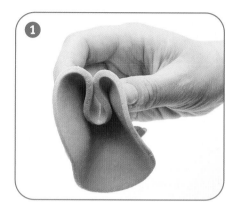

1. Aus dem Brot vier Stücke zurechtschneiden (→ »Listiger Fuchs«, Seite 48). In die hinteren Brotteile jeweils ein Loch von 2 Zentimetern Durchmesser stechen. Aus dem Käse Kreise von 7 Zentimetern Durchmesser ausrädeln oder ausstechen, auf die vorderen Brotteile legen, die Lyoner-Wurstscheiben daraufgeben.

2. In den Rand der größeren Scheiben Kalbfleischwurst nebeneinander zwei Löcher von 1 Zentimeter Durchmesser schneiden und den gegenüberliegenden Rand 3 Zentimeter umschlagen. Die Wurst zusammenklappen ❶, jeweils hochkant an das hintere Brotteil lehnen, den umgeschlagenen Teil etwas in das Loch drücken.

3. Die kleineren Kalbfleischwurstscheiben etwas einrollen und mit der Öffnung nach vorn auf die »Nase« legen. Jeweils zwei Oliven auf ein Stück Salzstange spießen und in die Öffnung der Wurstscheiben legen. Petersilie oben auflegen.

4. Aus den Gurkenscheiben Halbmonde schneiden ❷. Jeweils zwei zwischen das hintere Brotteil und die Wurst klemmen. Die Paprikaringe einmal durchschneiden und durch die Löcher der »Nase« führen. Den Stier auf Salatblätter setzen.

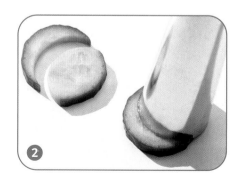

Elefant

1 rundes Brot
8 Scheiben Kalbfleischwurst
8 kleine dünne Möhren (Konserve)
2 Scheiben Schnittkäse (z. B. Gouda)
$^1/_2$ rote Paprikaschote
Je 4 schwarze und grüne Oliven
ohne Stein
8 Erbsen (Konserve)
Krause Petersilie
Einige Blätter Lollo Biondo
Außerdem: Salzstangen

1. Aus dem Brot vier Stücke zurechtschneiden (→ »Listiger Fuchs«, Seite 48). Die Brotstücke so aufstellen, dass die Spitze nach vorn zeigt. In die Mitte der Spitze ein Loch stechen ❶.

2. Vier Wurstscheiben zusammenrollen und jeweils in der Mitte der Spitze eine Scheibe mithilfe von Salzstangenstückchen befestigen. Unter diesen »Rüssel« jeweils zwei Möhren in das Brot drücken.

3. Aus dem Käse Ringe von 4 Zentimetern Durchmesser ausstechen. Paprikastücke passend zurechtschneiden, in die Ringe geben und diese mithilfe von Salzstangenstückchen jeweils rechts und links vom »Rüssel« befestigen.

4. Die Oliven in Scheiben schneiden, die schwarzen Scheiben halbieren. Jeweils eine grüne Scheibe und einen schwarzen Halbkreis auf ein Salzstangenstück legen, auf die Spitze jeweils eine Erbse klemmen ❷ und diese »Augen« am Brot befestigen.

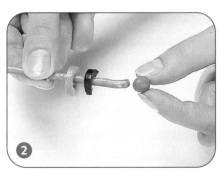

5. Die restlichen Wurstscheiben in der Mitte teilen. Die Rinde am oberen Brotrand rechts und links einschneiden und die halben Scheiben mit der Rundung nach vorn hineinklemmen. Petersilie in die Mitte setzen, Salat waschen und den Elefanten darauf anrichten.

Neugieriger Esel

1 rundes Brot (500 g)
12 Scheiben ungarische Salami
4 Scheiben Käse
4 Scheiben Kalbfleischwurst
(etwa 9 cm ø)
8 Scheiben Salatgurke
8 grüne gefüllte Oliven
8 Gewürzkörner
Krause Petersilie
8 Blatt Feldsalat
1 Stück rote Paprikaschote
Außerdem: **Salzstangen**

1. Aus dem Brot vier Stücke zurechtschneiden (→ »Listiger Fuchs«, Seite 48). In die hinteren Brotteile jeweils ein Loch von 1 $\frac{1}{2}$ Zentimetern Durchmesser stechen. Die vorderen Brotteile vorn an der Rinde 2 Zentimeter tief einschneiden. Vier Scheiben Salami zusammenklappen und in die entstandenen Schlitze klemmen.

2. Die vorderen Brotteile mit Käse belegen. Die Kalbfleischwurst aufrollen, hochkant auf die vorderen Brotteile stellen, die obere Spitze in dem Loch befestigen ❶.

3. Jeweils ein Gurkenstück, eine Olive und ein Gewürzkorn auf ein Stück Salzstange spießen. Dies als Augen oben am hinteren Brotteil befestigen.

4. Die restlichen Salamischeiben so ausstechen, dass ein Rand von 1 bis 1 $\frac{1}{2}$ Zentimetern bleibt ❷. Die Salamiringe über den Gurkenscheiben anordnen. Petersilie oben auflegen.

5. Jeweils zwei Salatblätter zwischen Brot und Gurkenscheiben klemmen. Aus der Paprika Kreise von 1 Zentimeter Durchmesser schneiden und diese jeweils auf den unteren Teil der Kalbfleischwurst legen. Mit Salzstangenstückchen festklemmen.

Riesenohr

6 Scheiben Toastbrot
4 Scheiben Schnittkäse (z. B. Edamer)
4 Scheiben ungarische Salami
8 Maiskörner (Konserve)
1 Wiener Würstchen
4 schwarze Oliven ohne Stein
4 Möhren (Konserve)
4 kleine Gewürzgurken
8 Scheiben Lyoner vom Ring
Außerdem: Salzstangen

1. Aus vier Scheiben Toastbrot Kreise von 8 Zentimetern Durchmesser ausschneiden. Aus dem Käse Kreise von 9 Zentimetern Durchmesser ausrädeln und auf die Brotscheiben legen.

2. Die Salamischeiben in der Mitte etwas ausschneiden, sodass nur ein breiter Rand stehen bleibt. Diesen zusammenklappen und als Mund auf die Käsescheibe legen. Jeweils zwei Maiskörner als Zähne in die Mitte setzen.

3. Aus den restlichen Brotscheiben vier Kreise von 4 Zentimetern Durchmesser ausschneiden, in die Mitte der Käsescheibe legen und nach vorn etwas über die Salamischeibe ziehen. Die Kreise mit Salzstangenstücken auf dem Brot befestigen.

4. Würstchen in acht Scheiben schneiden. Die Oliven halbieren. Jeweils zwei Würstchenscheiben auf das kleine runde Brotstück legen, darauf je zwei halbierte Oliven und dazwischen jeweils eine Möhre legen. In die Mitte der Olivenhälften mithilfe von Gewürznelken ein Stückchen Gurkenschale stecken. Rechts und links von den »Augen« jeweils eine Scheibe Lyoner legen.

5. Für die grüne Lockenpracht die Gurken mit einem Spiralschneider aufschneiden oder mit einem Messer in Scheiben schneiden, die aber noch zusammenhängen müssen. Die Enden entfernen, die Spirale auseinanderziehen und auflegen.

Unser Tipp

Anstelle der Gurken können Sie auch rohe Zucchini verwenden. Kaufen Sie kleine, gerade, möglichst junge Früchte. Denn diese sind saftiger und aromatischer als ihre größeren Verwandten. Außerdem haben sie weniger Kerne und festeres Fleisch. Im Gemüsefach des Kühlschranks halten sich Zucchini bis zu einer Woche.

Feuriger Grill

4 Scheiben Weißbrot
40 g Butter
4 Scheiben Schnittkäse
(z.B. Emmentaler)
Einige Blätter Lollo Rosso
4 Möhren (Konserve)
20 Salzstangen
8 grüne Bohnen (Konserve)
150 g Salami
2 Wiener Würstchen
1 Stück rote Paprikaschote
6 grüne Oliven ohne Stein
4 schwarze Oliven ohne Stein

1. Die Brotscheiben mit Butter bestreichen und mit Käse bedecken. Den Salat waschen, jeweils ein Blättchen in die Käsemitte legen. Möhren in Stifte schneiden, auf den Salat schichten.

2. In vier Ecken der Brotscheiben Salzstangen stecken. Jeweils zwei Salzstangen mit den grünen Bohnen verbinden ❶.

3. Salami, Wiener Würstchen und Paprika in kleine Stücke, die Oliven in Scheiben schneiden. Alles auf Salzstangen aufreihen ❷.

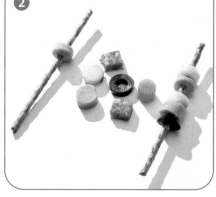

4. Die »Grillspieße« quer auf die grünen Bohnen legen. Das Brot auf Salatblättern anrichten.

Unser Tipp

Die Grillhappen können Sie nach Ihrem Geschmack und Belieben zusammenstellen. Sie können zum Beispiel neben verschiedenen Wurstsorten auch Käsestückchen aufspießen, gelbe und grüne Paprikastückchen, Gürkchen oder Silberzwiebeln. Lassen Sie Ihrer Fantasie freien Lauf.

Flusspferd

4 Scheiben Weißbrot
40 g Butter
4 Scheiben Schnittkäse (z. B. Gouda)
6 Scheiben Kalbfleischwurst
2 Cornichons
8 schwarze Oliven ohne Stein
8 Maiskörner (Konserve)
4 Radieschen
8 Wiener Würstchen
4 kleine Salatgurken oder Zucchini
Außerdem: **Salzstangen**

1. Die Brotscheiben mit Butter bestreichen und mit Käse belegen. Aus vier Scheiben Kalbfleischwurst jeweils einen Kreis von 7 Zentimetern Durchmesser ausstechen. Den Kreis zusammenklappen, die offene Seite auf die Brotspitze legen, den hinteren Wurstteil mit Salzstangen feststecken ❶.

2. Die Gurken abtropfen lassen und in Scheiben schneiden. Aus den restlichen Wurstscheiben vier »Brillen« schneiden. Diese auf die zusammengeklappten Wursthälften legen und zwei Gurkenstückchen hineinstecken.

3. Oberhalb der »Brille« mithilfe von Salzstangen zwei Oliven befestigen. Maiskörner hineindrücken und Radieschen dazwischenlegen ❷.

4. Die Wiener Würstchen in 16 Stücke von 4 Zentimetern Länge schneiden. Auf jeder Brotscheibe vier Wurststücke als Beine anlegen, Gurkenscheibchen auflegen.

5. Für den Panzer die Salatgurken mit einem Spiralschneider aufschneiden oder mit einem Messer in Scheiben schneiden, dabei die Scheiben verbunden lassen. Die Gurkenenden entfernen und die Spirale auf das Brot legen. Aus Gurkenschale einen Schwanz schneiden und anlegen.

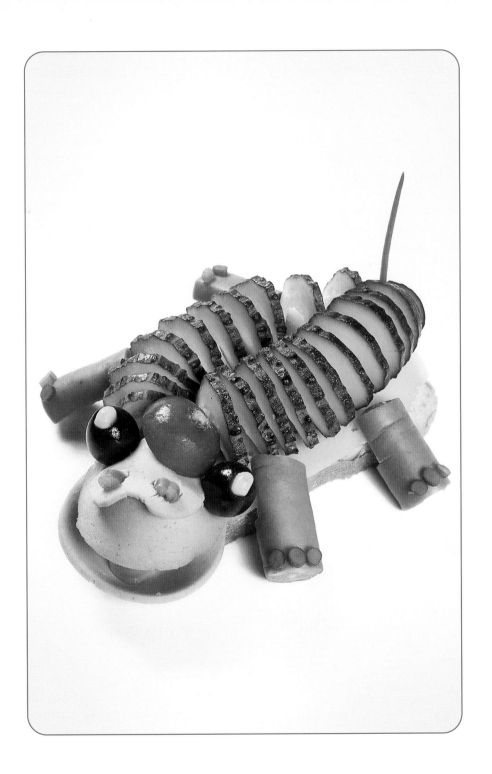

Vogelnest

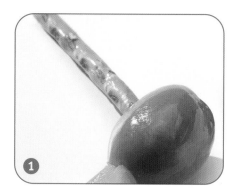

4 Scheiben Brot
4 Scheiben Kräuter-Schnittkäse
1 Möhre
200 g grüne Bohnen (Konserve)
12 rote Bohnen (Konserve)
5 kleine Gewürzgurken
4 Gewürzkörner
4 grüne Oliven ohne Stein
8 Stängel krause Petersilie
Einige Blätter Lollo Biondo
Außerdem: Salzstangen

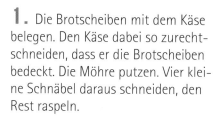

1. Die Brotscheiben mit dem Käse belegen. Den Käse dabei so zurechtschneiden, dass er die Brotscheiben bedeckt. Die Möhre putzen. Vier kleine Schnäbel daraus schneiden, den Rest raspeln.

2. Bohnen zerkleinern, mit den Möhrenraspeln vermischen und dies als Nest jeweils auf einer Seite der Brote anordnen. Die roten Bohnen hineinlegen.

3. Jeweils eine Gurke vor das Nest legen. Die Möhrenstückchen als Schnabel und Gewürzkörner als Augen in die Oliven drücken. Die so präparierten Oliven jeweils auf ein Stückchen Salzstange stecken ❶ und am Ende der Gewürzgurken befestigen ❷.

4. Aus der restlichen Gurke acht Scheiben schneiden, jeweils zwei als Flügel an die Gurke anlegen. In das andere Ende der Gurke jeweils zwei Petersilienstängel stecken. Den Salat waschen und die Vogelnester darauf anrichten.

Unser Tipp

Anstelle der grünen Bohnen können Sie auch geraspelte rohe Zucchini oder etwas Rotkraut verwenden.

Gackerndes Huhn

4 **Eier** (am besten Wachteleier)
4 **Scheiben Brot**
30 g **Butter**
4 **Scheiben Schnittkäse** (z.B. Gouda)
Einige **Blätter Lollo Rosso**
4 **Scheiben Kalbfleischwurst**
5 **Radieschen**
1 **Salatgurke**
12 **grüne Oliven ohne Stein**
4 **Gewürznelken**
1 **Möhre**
1 **Stück rote Paprikaschote**
Außerdem: **Salzstangen**

1. Die Eier hart kochen, abschrecken und schälen. Die Brotscheiben mit Butter bestreichen und mit Käse bedecken. Salat waschen, trockentupfen und die Blätter jeweils auf der vorderen Brotmitte anordnen. Die Eier etwas einschneiden und auf den Salat legen.

2. Die Wurstscheiben zusammenklappen, mit der Öffnung nach vorn hinter die Eier legen. Aus vier Radieschen jeweils ein Dreieck herausschneiden ❶. Die Gurke in dünne Scheiben schneiden, einige Scheiben in die Spalten der Radieschen stecken. Die Radieschen auf die offene Seite der Wurstscheiben setzen. Acht Oliven in die Wurstscheiben legen.

3. In die restlichen vier Oliven jeweils ein Stück Salzstange stecken und diese vorn an den Radieschen befestigen. Nelken als Augen in die Oliven stecken. Aus der Möhre acht Dreiecke für den Schnabel zurechtschneiden und in die Oliven stecken ❷.

4. Aus der Paprikaschote vier Hahnenkämme ausschneiden und mithilfe von Salzstangenstückchen auf den Oliven befestigen. Das restliche Radieschen in Scheiben schneiden, je zwei Scheiben hochkant zwischen Salat und Wurstscheiben stellen.

Haifisch

4 Scheiben Brot
4 Scheiben Kalbfleischwurst
(etwa 9 cm ø)
1 Scheibe Schnittkäse (z. B. Gouda)
5 schlanke Salatgurken oder
Zucchini
2 Radieschen
4 schwarze Oliven ohne Stein
8 Maiskörner (Konserve)
Außerdem: **Salzstangen**

1. Die Brotscheiben zurechtlegen. Die Wurstscheiben zusammenklappen und mit der offenen Seite nach vorn auf die Brotspitze legen.

2. Aus dem Käse eine Reihe mit spitzen Zähnen schneiden und in die Wurstscheiben legen. Den hinteren geschlossenen Wurstteil mithilfe von Salzstangenstückchen am Brot befestigen.

3. Vier Gurken mit dem Spiralschneider aufschneiden, dabei 5 Zentimeter vom Gurkenende entfernt anfangen. Man kann die Gurke auch in Scheiben schneiden, muss dabei jedoch darauf achten, dass die Scheiben zusammenhängend bleiben. Die Spirale etwas auseinanderziehen, mit dem geschlossenen Stück nach vorn auf das Brot legen.

4. Quer durch das geschlossene Gurkenstück eine Salzstange schieben. Radieschen in Scheiben schneiden, Oliven halbieren. Auf die Salzstange rechts und links jeweils eine Radieschenscheibe und eine halbe Olive stecken, zuletzt die Maiskörner befestigen (Bild).

5. Aus der restlichen Gurke Dreiecke schneiden und als Flossen anlegen.

Unser Tipp

Radieschen sollte man stets frisch kaufen und möglichst nicht lagern. Beachten Sie beim Einkauf, dass die Radieschen fest und nicht aufgeplatzt sind. Welke, gelbe Blätter deuten darauf hin, dass die Ware nicht mehr frisch ist.

Schlaue Maus

4 Scheiben Brot
30 g Butter
Einige Blätter Lollo Biondo
4 Scheiben Allgäuer Emmentaler
4 Radieschen mit langen Wurzeln
4 Scheiben Kalbfleischwurst
2 Scheiben Schnittkäse (z. B. Gouda)
2 schwarze Oliven ohne Stein
8 grüne Erbsen (Konserve)
8 Gewürznelken
Krause Petersilie
Außerdem: Salzstangen

1. Die Brotscheiben mit Butter bestreichen. Salat zerteilen und waschen. Salatblätter auf den Brotscheiben anrichten. Die Käsescheiben auflegen.

2. Aus den Radieschen ein Dreieck herausschneiden. Die Wurstscheiben zusammenklappen und an der geschlossenen Seite oben etwas zusammendrücken ❶.

3. Mit der offenen Seite nach vorn in die Mitte der Käsescheibe legen. Radieschen so aufsetzen, dass der zusammengedrückte Wurstteil in die Spalte geklemmt wird ❷.

4. Aus dem Schnittkäse Halbmonde für die Augen, 1 Zentimeter große Quadrate für die Zähne und runde Ohren schneiden. Die Zähne in die Öffnung der Wurst klemmen. Die Oliven halbieren und mithilfe von Salzstangenstücken als Nase auf der Wurst befestigen.

5. In die Erbsen jeweils eine Gewürznelke stecken, dann rechts und links von der »Nase« auf die Wurst legen, darüber die zurechtgeschnittenen Käse-Halbmonde anordnen. Die Radieschen oben etwas einschneiden, die »Ohren« in die Spalten stecken und in die Mitte einen Zweig Petersilie legen.

Rezeptverzeichnis

Über dieses Buch

Bildnachweis
Alle Fotos: Iryna Stepanova und
Sergiy Kabachenko

Haftungsausschluss
Die Inhalte dieses Buches sind sorgfältig
recherchiert und erarbeitet worden. Dennoch
können weder die Autoren noch der Verlag
für die Angaben in diesem Buch eine Haftung
übernehmen.

Impressum
Es ist nicht gestattet, Abbildungen und Texte
dieses Buches zu digitalisieren, auf digitale
Medien zu speichern oder einzeln oder zu-
sammen mit anderen Bildvorlagen/Texten zu
manipulieren, es sei denn mit schriftlicher
Genehmigung des Verlages.

Weltbild Buchverlag
–Originalausgaben–

© Iryna Stepanova and Sergiy Kabachenko
© dieser Ausgabe 2007 by Verlagsgruppe Weltbild GmbH,
Steinerne Furt 67, 86167 Augsburg
4. Auflage 2007

Alle Rechte vorbehalten
Projektleitung: Gerald Fiebig
Redaktion: Annette Gillich-Beltz
Umschlagfotos: Iryna Stepanova und Sergiy Kabachenko
Umschlaggestaltung: X-Design, München
Innenlayout und Satz: Dirk Risch, Berlin
Reproduktion: Point of Media GmbH, Augsburg
Druck und Bindung: TYPOS-Digital Print, Plzen

Gedruckt auf chlorfrei gebleichtem Papier

Printed in Czech Republic

ISBN: 978-3-89897-547-6

Hinweis in eigener Sache

Unsere Rezepte werden von erfahrenen Autoren
kreiert und erprobt. Wir freuen uns jedoch über
Anregungen, Tipps oder Kritik und helfen bei
Fragen gerne weiter. Bitte wenden Sie sich an:
Weltbild Buchverlag, Steinerne Furt 67,
86167 Augsburg, oder schicken Sie uns eine
E-Mail an: Gabriele.Beck@weltbild.com